Salut Laurence!

Catalogage avant publication de Bibliothèque et Archives nationales du Québec et Bibliothèque et Archives Canada

Mercier, Johanne

Salut Laurence !

(Le Trio rigolo ; 31)
Pour les jeunes de 10 ans et plus.

ISBN 978-2-89591-222-4

I. Rousseau, May, 1957- . II. Titre. III. Collection : Mercier, Johanne. Trio rigolo ; 31.

PS8576.E687S24 2015 jC843'.54 C2014-942274-1
PS9576.E687S24 2015

Correction-révision : Bla bla rédaction

Dépôts légaux : 1er trimestre 2015
Bibliothèque nationale du Québec
Bibliothèque nationale du Canada
ISBN 978-2-89591-222-4

4339, rue des Bécassines
Québec (Québec) G1G 1V5
CANADA
Téléphone : 418 628-4029
Sans frais depuis l'Amérique du Nord : 1 877 628-4029
Télécopie : 418 628-4801
info@foulire.com

Les éditions FouLire reconnaissent l'aide financière du gouvernement du Canada par l'entremise du Fonds du livre du Canada pour leurs activités d'édition.

Elles remercient la Société de développement des entreprises culturelles du Québec (SODEC) pour son aide à l'édition et à la promotion.

Elles remercient également le Conseil des arts du Canada de l'aide accordée à leur programme de publication.

Gouvernement du Québec – Programme de crédit d'impôt pour l'édition de livres – gestion SODEC.

IMPRIMÉ AU CANADA/PRINTED IN CANADA

Salut Laurence !

AUTEURE :
JOHANNE MERCIER
ILLUSTRATRICE :
MAY ROUSSEAU

Le Trio rigolo

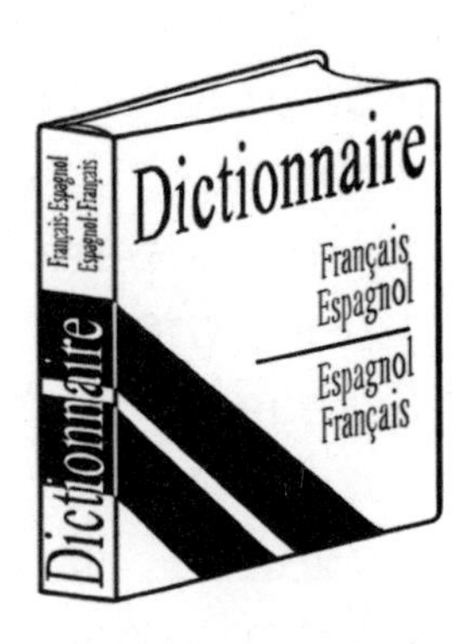

L'école recommence dans une semaine.

Je n'ai encore rien préparé. Courir acheter ses articles scolaires, c'est accepter la fin de l'été. Pour le moment, je suis dans le déni, que voulez-vous. Le doux déni d'août. Reste à trouver comment profiter pleinement de cette dernière semaine de vacances. Ce n'est pas simple.

Cet été, l'amour gâche tout.

Pas mes amours, rassurez-vous. Je ne suis plus du tout du genre à tomber dans le piège du coup de foudre. Quand je repense au beau Juan Gustavo Carlo Garcia, débarqué dans ma classe l'an dernier… J'en avais perdu l'appétit. Je passais mes soirées à essayer d'apprendre l'espagnol. Et j'ai tellement déprimé quand il est retourné sur son île au bout du monde[1]. Heureusement, j'ai pris de la maturité depuis le temps. L'amour fait pleurer. Pleurer fait vieillir. Vieillir rend plus sage. Et la sagesse nous évite d'avoir de la peine.

Cet été, ce sont les amours de mes amis qui assombrissent un peu la fin de mes vacances. Je n'ai presque plus de nouvelles de mon amie Geneviève depuis qu'elle a revu le bassiste du *band* de rock *Mind Your Own Business*, par hasard, au centre commercial. Elle ne l'avait jamais croisé depuis le pire *party* de notre vie[2]. Geneviève et lui ont passé l'après-midi ensemble. Le lendemain,

1. Voir *Au bout du monde*
2. Voir *Mon pire party*

ils se sont écrit, le jour d'après, ils se sont revus, et multipliez par 12 jours ce petit scénario romantique qui m'éloigne maintenant de ma meilleure amie. Ils filent le parfait amour. C'est ce que Geneviève m'a dit. Elle le voit dans sa soupe. Je ne la vois presque plus.

Je ne peux faire aucun projet non plus avec mon ami Gamache. Guillaume pleure sa vie depuis samedi dernier. Depuis que Sandrine Lamontagne lui a balancé le classique et toujours cruel : « Je t'aime beaucoup. » Quand on aime, on dit : « Je t'aime. » Quand on dit : « Je t'aime beaucoup », c'est qu'on aime déjà moins. Tout le monde le sait. Même moi.

Et Sandrine a senti le besoin de préciser :

– T'es vraiment mon meilleur ami.

Le coup fatal. C'est bien ce qu'il avait compris. Guillaume Gamache parachuté dans la *friendzone* en moins de deux. Il ne se relèvera pas de sitôt. Je le connais. Le pauvre a perdu son été à essayer de gagner le cœur de Sandrine. Et Sandrine a perdu une belle occasion d'avoir le plus formidable des amoureux. J'ai beau lui téléphoner, lui écrire de longs textos pour lui remonter le moral, Gamache me répond toujours les trois mêmes lettres : bof. Il refuse même mon invitation à manger une poutine saucisses extra bacon. C'est dire la douleur qui le ronge.

Cet été, l'amour gâche tout, mais ce n'est pas le pire...

Pour la première fois depuis la maternelle, je ne peux même pas compter sur la rentrée scolaire pour revoir mes amis. Plus question de les retrouver dans la cour d'école en septembre. Ni de troquer mon lunch santé contre la pizza trois viandes de Gamache. Terminés les rires complices

pendant les cours. Les devoirs achevés ensemble à la dernière minute. Les travaux d'équipe à jaser de tout sauf du travail d'équipe. Dans une semaine, c'est ma rentrée dans une nouvelle école, loin de mes amis.

Là-bas, je serai seule au monde.

Geneviève s'est inscrite au programme théâtre-études du collège des Sources. J'ai bien essayé, moi aussi, mais j'ai raté l'audition. J'en ai trop mis en voulant jouer Juliette dans la scène du balcon. J'avais pris soin d'appliquer du gel Vicks sous mes yeux pour verser de vraies larmes. Mes yeux piquaient tellement que je pleurais réellement.

– Juliette n'a jamais tant pleuré sur le balcon, a soupiré la prof de théâtre devant qui je passais l'audition.

– Mais leur histoire est tellement triste…

– Relis Shakespeare, Laurence.

J'ai été refusée.

Guillaume Gamache est admis au programme de musique. Il voulait jouer de la basse, on lui a refilé le cor anglais. Il est tout de même content. Mathieu Vézina ira dans une école privée avec un beau petit costume marine et des souliers lacés. Max Beaulieu est accepté à l'école de cirque et la grande Marie-Michelle vient de déménager à Vancouver avec ses parents. Elle apprendra le mandarin et le taï-chi.

Bref, cette année, on se sépare tous.

Et moi?

Moi, je suis inscrite à l'école du Phare. La pire vieille école sans intérêt avec des corridors qui se croisent comme dans un labyrinthe et un cimetière juste en face. Mortel.

– Mais qu'est-ce qui te fait tant soupirer, Laurence ? a demandé ma mère, le jour où j'ai rempli avec elle mon formulaire d'inscription.

– Personne ne va à l'école du Phare, maman. Personne, personne, personne.

– Y a sûrement un...

– PERSONNE !

– Tu verras tes amis les fins de semaine, le soir, les jours de congé.

– C'est pas pareil. L'école, c'est fait pour voir ses amis. Sinon, à quoi ça sert de s'inscrire ?

Ma mère a quand même cherché des solutions avec moi, ce jour-là. On a longtemps fouillé dans les prospectus de toutes les écoles.

– On peut trouver un programme pour toi aussi, Laurence...

– Comme quoi ?

– Quilles-études ?

– Maman…

On a continué nos recherches.

– Violoncelle-études ? Golf-études ?

– Y a pas maracas-études ?

– T'aimerais ça ?

– Maman, arrête de me proposer n'importe quoi !

– Anglais intensif ? Espagnol intensif ?

– Rien d'intensif, s'il te plaît.

– La solution pour se faire des amis, quand on arrive dans une nouvelle école, Laurence, c'est de s'inscrire aux activités parascolaires. Le journal de l'école, la radio étudiante, une ligue d'impro…

– Mais je vais m'inscrire avec qui ? Je ne connaîtrai personne, maman !

– Laurence, on tourne un peu en rond, là.

J'ai regardé ma mère signer ma demande d'admission à l'école du Phare, en souhaitant que le jour de la rentrée n'arrive jamais. Mais on y est presque. La visite chez le dentiste, la varicelle, les choux de Bruxelles, les communications orales, la fin de l'été : mêmes cauchemars. La rentrée scolaire a été inventée par quelqu'un qui voulait gâcher les vacances. Une sorte de *Grinch* de l'été.

Bref, je dois profiter pleinement de mes dernières journées de congé sans penser au jour J. Sans imaginer le pire...

Les autres membres de ma famille n'ont visiblement pas d'angoisse de fin de vacances. Je les observe en ce moment. Ils ont l'air bien. Mon grand frère Jules vient de plonger dans la piscine, ma tante Doris, en visite chez moi, mange des nachos en jouant au scrabble avec ma mère sur la terrasse. Et mon père sommeille dans sa nouvelle chaise longue.

Heureux. Chanceux d'être calmes et insouciants.

– Aaaaaaaaaaaaaaaaaaaaaaah !

Ce cri vient de notre cour arrière.

Plus précisément, de notre balcon. Et plus précisément encore, de ma tante Doris. Vient-elle de réaliser que l'été s'achève ? Réaction normale, mais un peu excessive.

C'est le branle-bas maintenant. Mon père et ma mère entourent ma tante Doris qui s'époumone. Mon grand frère sort de la piscine et les rejoint en courant. Ils sont autour du téléphone cellulaire de Doris et lisent tour à tour le courriel qu'elle vient de recevoir.

Bon. J'y vais. Je ne peux pas rester dans le déni de tout.

C'est à peine croyable.

Ma tante Doris vient d'apprendre qu'elle est l'heureuse gagnante d'un voyage pour deux personnes, en formule tout inclus, dans un hôtel cinq étoiles, à Punta Cana. Un concours auquel elle se serait inscrite, il y a six mois, sur le site vacancesdederniereminute.com.

Ma tante Doris participe à tous les concours possibles, sans jamais rien remporter. Il semble que cette fois soit la bonne. Belle leçon de persévérance pour nous tous qui ne partirons pas au soleil cet hiver.

– Pfft ! Hameçonnage classique ! affirme mon grand internaute de frère. Ne réponds surtout pas à ça, Doris ! Supprime le message tout de suite.

– Es-tu fou ? Pour une fois que je gagne...

– Écoute ton filleul, renchérit mon père. Un tout inclus gratuit, pour deux personnes, pour une semaine. Ça sent l'arnaque...

– Et moi, je dis que ça sent la noix de cocoooo ! claironne ma tante en composant le numéro de l'agence.

Ça va mal finir. On le sait tous.

Doris met le téléphone sur la fonction haut-parleur, histoire de partager avec nous la conversation qu'elle aura avec la personne de l'agence. Nous serons

témoins de son bonheur immense ou de sa déception profonde. On croise les doigts. On n'y croit pas trop.

Autour de l'appareil, des verres de limonade, la crème solaire et le bol de nachos. Autour de la table, quatre sceptiques et Doris.

Un homme finit par répondre.

– Allô !

– Vacances de dernière minute ? commence ma tante.

– Pas intéressé.

Il raccroche. Elle a fait erreur de numéro. Elle est trop nerveuse, la petite. Elle compose de nouveau. Cette fois, la voix est jeune, souriante et peut-être un peu trop dynamique.

– Bonjour ! Mon nom est Ben.

– Bonjour...

– Je suis votre agent et chez nous, l'agent fait le bonheur ! Ha ! ha ! ha !

– Ha ! ha ! ha !

Ma tante rit, par politesse.

– Besoin de vacances, ma p'tite madame ?

– Euh...

– L'Europe ? L'Asie ? L'Afrique ? Walt Disney World, peut-être ?

– Je viens d'apprendre par courriel que j'ai gagné un voyage à Punta Cana, annonce Doris.

– Votre nom ?

Ma tante se présente, donne le numéro du concours, s'emballe déjà et bafouille un peu. L'agent vérifie, confirme et la félicite.

Tout est beau. Tout est parfait. C'est formidable.

– Réalisez-vous la chance que vous avez, madame Doris ?

Elle dit que non. Qu'elle est trop énervée. Mais qu'elle le réalisera sans doute ce soir ou demain.

Jusque-là, tout va très bien.

Mais parce que rien n'est jamais simple dans la vie et encore moins lorsqu'on participe à un concours, l'homme de l'agence lui pose une question qui vient brutalement stopper l'euphorie qui grimpait chez tous les membres de la famille.

– Êtes-vous prête à passer à la prochaine étape, madame Vaillancourt ?

– La prochaine étape ? répète Doris.

– L'enfer commence, marmonne mon frère. Raccroche, Doris ! Raccroche !

– Ne donne surtout pas ton numéro de carte de crédit ! lui souffle mon père.

– Je suis prête ! affirme ma tante, sourde aux railleries lancées à voix basse autour de la table en cette belle fin d'après-midi d'été.

Naïve, Doris. Naïve…

– Vous devez répondre à une petite question d'habiletés mathématiques, madame Vaillancourt. Une formalité. Ne vous inquiétez pas. C'est tout simple. Vous êtes toujours là ?

Petit oui à peine audible.

– Vous êtes prête ?

Elle ne l'est pas du tout.

Doris panique. Elle nous supplie du regard. On lui fait signe de ne pas s'en faire. On est avec elle. On va l'aider à résoudre l'opération mathématique. Elle peut compter sur nous.

– Alors, voici la question, commence l'agent. Combien font 12 fois 2 ouvrez la parenthèse 2 moins 2 fermez la parenthèse plus 1 ?

– Ciel !

– Vous voulez que je répète ?

– S'il vous plaît.

– Combien font 12 fois 2 ouvrez la parenthèse 2 moins 2 fermez la parenthèse plus 1 ?

Jamais de toute ma vie je n'ai vu un visage aussi crispé. Personne autour de la table ne semble enclin à aider Doris. En fait, personne n'est capable de résoudre l'équation.

– Voyons, c'est pourtant pas si compliqué : 12 fois quoi déjà ? s'énerve ma mère.

Quand l'homme de l'agence accepte de répéter la question pour la troisième fois, ma mère s'empresse de noter le problème au stylo rouge sur son napperon. Elle ouvre la calculette de son iPhone.

– Alors, madame Vaillancourt ? Vous avez la réponse ou…

– HUIT ! hurle ma tante, sans consulter personne.

– Oh ! là ! là ! là ! là ! fait l'agent, qui a l'air sincèrement désolé. Comme c'est dommage…

– C'est pas huit ? s'étonne Doris.

– Non, madame Vaillancourt. C'est loin d'être huit.

– Ça ne peut pas être si loin…

– Mais parce que je suis de bonne humeur, je vous accorde une deuxième chance. Prenez votre temps. Combien font 12 fois 2 ouvrez la parenthèse 2 moins 2 fermez la parenthèse plus 1, madame Vaillancourt ?

– Zéro…, lui souffle mon père.

– Non ! lance spontanément ma mère. L'opération finit par plus un. C'est la parenthèse qui mélange tout…

– Quand on multiplie par zéro, ça donne toujours zéro, peu importe ce qui arrive avant ou après ! affirme mon frère.

– La parenthèse est pas fermée ou quoi ?

– Oublie la parenthèse, *mom*.

Belle famille de mathématiciens ! Et quand j'arrive avec mes résultats d'examens de math, on s'étonne…

– La réponse est zéro, finit par annoncer Doris.

– Pardon ? Avez-vous dit : zéro ?

– Non, attendez !

Doris jette un œil désespéré en direction de mon père. Il lève le pouce, l'air de dire : « Fais-moi confiance, Doris, la réponse est zéro. » Mon frère est tordu de rire.

J'ignore où est Punta Cana, j'ignore si ce concours est une arnaque, mais quelque chose me dit qu'aucun membre de la famille Vaillancourt n'ira là-bas cet hiver. J'interviens tout de même.

Je lui suggère de répondre « un ».

– La réponse est un ! proclame aussitôt ma tante. Désolée, je suis nerveuse. Je ne gagne pas de concours tous les jours.

– Vous ne faites pas de calculs tous les jours non plus, si je comprends bien.

– Ce n'est pas la bonne réponse ?

– La réponse est effectivement un.

– YESSS !

Cette fois, c'est moi qui viens de crier.

– Mais je vais consulter mes collègues, annonce l'agent.

– Pour savoir si la réponse est un ? demande Doris.

– Pour savoir si vous gagnez le prix après quatre essais.

Ma tante est en attente. Une musique ennuyante griche dans le petit haut-parleur du téléphone. Personne ne parle. On fixe l'appareil. Quand la musique s'arrête enfin, le cœur de Doris bat sûrement à 1 000 pulsations par minute. Le mien aussi.

– Merci d'avoir patienté, madame Vaillancourt. Vous êtes toujours en ligne ?

– Oui ! On est tous là ! lance spontanément ma mère, dans un élan de solidarité familiale qui provoque un petit malaise.

– Croyez-vous au père Noël, madame Vaillancourt ?

– C'est une question de concours ou...

– Vous partez pour Punta Canaaaa !

Doris est sous le choc.

– Je rêve...

– Vacancesdedernieremiute.com vous félicite, madame. La confirmation arrivera par courriel dans quelques minutes. Merci d'avoir participé et bon voyage...

– Merci, merci, répète Doris. Merci !

C'est trop beau.

Petit œil narquois en direction de mon sceptique de frère. Que peut-il ajouter en pareilles circonstances ?

– Trop facile. Une fois là-bas, tu vas comprendre à quel point c'est une arnaque, Doris. Y a sûrement des frais cachés, plein de trucs qu'ils ne disent pas. J'ai des amis qui se sont fait avoir avec des concours pareils. Le Net, c'est pas toujours *clean*.

On lève quand même nos verres

de limonade. On trinque au voyage de Doris, au concours, au soleil et à la chance.

– Merci pour ta réponse, ma choucroute.

Je souris.

– Ça te tente ?

Je ne comprends pas sa question.

– Un petit voyage à Punta Cana avec moi, cet hiver ?

Ai-je bien entendu ? Ma tante Doris m'invite ? Moi ? Elle me demande si ça me tente ? C'est le rêve de ma vie, aller dans le Sud ! Prendre enfin l'avion ! Revenir avec un coup de soleil sur le nez en février, comme le fait chaque année la grande Marie-Michelle !

– Ce serait vraiment beaucoup trop génial, Doris !

– Alors, on y va pendant ta semaine de relâche.

Je hurle ma joie immense. Je saute. J'embrasse ma tante sur les deux joues. Cette nouvelle ne pouvait pas mieux tomber ! La fin de l'été vient de prendre une autre couleur.

Je plonge dans la piscine. Ma mère dans son roman. Doris fixe son cellulaire en attendant les documents de l'agence de voyages, mon frère somnole dans le hamac et mon père fait griller son poulet mariné aux trois ingrédients secrets sur le barbecue.

Un moment de vacances parfait. Le bonheur.

Enfin, jusqu'à ce que Doris se mette à maugréer :

– Ah non ! C'est pas vrai ! C'est pas vrai...

– Qu'est-ce qui se passe, Doris ? s'inquiète ma mère.

Ma tante bondit, s'éloigne de la terrasse, discute au téléphone avec fougue. Puis, elle raccroche, l'air dévastée…

Je n'aime pas ça.

– L'école recommence quelle date, Laurence ? demande Doris, visiblement sur les nerfs.

– Aucune idée. Pourquoi ?

– Le 2 septembre, répond ma mère.

Je le savais, mais comme je suis dans la piscine, dans le déni et que cette fin de journée est trop parfaite, la rentrée scolaire est un sujet que je préfère éviter.

– Ton matériel est acheté ? Tout est prêt ? Pas de magasinage à faire ? questionne encore ma tante.

Pourquoi Doris se préoccupe-t-elle de mes achats de crayons de plomb et de feuilles lignées cette année?

– Parce qu'on part pour Punta Cana après-demain, Laurence.

– Hein?

– Quelle arnaque, ronchonne vous savez qui dans son hamac. Même pas le choix des dates. Ça commence bien...

Doris fixe ma mère qui regarde mon père qui tourne son poulet.

– Voyons, Doris. L'agence peut sûrement modifier le moment de votre départ, affirme mon père.

– Pas quand on fait affaire avec vacancesdedernieremninute, réplique Doris. C'est ce qu'ils viennent de me répondre.

Elle se rassoit et consulte son agenda.

– On reviendrait le 2, le jour de la rentrée. Tu raterais l'avant-midi, Laurence…

– Aucun problème pour moi, Doris ! On peut même rater les trois premières semaines.

Œil sévère de ma mère.

– C'est une blague, maman.

Je file dans ma chambre. Fini le doux déni d'août. Je dois trouver ma liste d'articles scolaires maintenant. Je me souviens de l'avoir cachée en juin pour ne pas gâcher mes vacances. Mais où ?

Mon grand frère fait irruption dans ma chambre. Comme si c'était le moment…

– Veux-tu un bon conseil, Laurence ?

– Non.

– Tu devrais vraiment pas y aller.

– Et c’est toi qui partirais à ma place ?

– La sœur de Ben Gendron a vécu un cauchemar à cause d’un voyage gagné sur Internet. Tu peux te retrouver dans un endroit minable.

– Peut-être que c’est vraiment le paradis, là-bas.

– As-tu déjà reçu des vaccins ?

– Pas besoin de vaccins, je vais dans un hôtel cinq étoiles !

– Les insectes regardent pas les étoiles avant de piquer, Laurence. Ils transmettent la fièvre jaune là-bas. Tu manges un truc louche, tu chopes le choléra ! Tu bois de l’eau, ton voyage est foutu.

– C’est pas un petit choléra qui va m’empêcher de voyager.

– C’est mortel, le choléra.

– La rentrée scolaire dans une nouvelle école, c'est pire.

– Les ouragans qui peuvent faire disparaître ton hôtel, ça ne te dérange pas non plus ?

– Non.

– Bon. Adieu, petite sœur.

– C'est ça.

Il quitte ma chambre. Mon frère donnerait tout pour aller à Punta Cana. Ça se voit tellement.

Il revient.

– Tu iras nager avec les requins aussi, Laurence. Paraît que c'est *cool*.

– Les dauphins, tu veux dire ?

– Les requins.

– Très gentil !

Il part pour de bon. Il était temps.

Dans la pièce d'à côté, ma mère cherche désespérément mon passeport. Elle a déjà vidé le contenu de trois tiroirs et attaque maintenant le classeur du bureau. Pas de passeport: pas de voyage. Pas de liste: pas d'achats pour la rentrée.

Ma tante Doris est partie chez elle en catastrophe, elle aussi à la recherche de son passeport. Les réservations de vol doivent être confirmées au plus tard ce soir. Le stress s'installe. Mon père a fait calciner son poulet. Tout va de travers depuis que la chance a tourné. Quand le téléphone sonne, c'est le drame…

– Y a un problème? s'inquiète aussitôt ma mère en entendant la voix chevrotante de ma tante Doris. Qu'est-ce qui se passe?

Son passeport n'est plus valide.

On ne partira pas.

Il est 4 heures du matin et l'aéroport est bondé.

J'imaginais qu'on serait les deux seules, Doris et moi, à attendre l'avion, parce que nous partons la nuit. Quelle idée ! On est des centaines de voyageurs avec des centaines de valises à faire la file pour enregistrer nos bagages. C'est interminable.

Tout s'est arrangé. Le bureau des passeports offre un service pour les urgences. Doris a eu le sien *in extremis*, comme elle le dit. Des frais supplémentaires de 150 dollars qui sauvent un voyage gratuit, ça vaut le coup.

Ma valise est partie sur un tapis roulant.

L'attente est longue. Mon père bâille. Ma mère me répète d'appliquer de la crème solaire et me rappelle que j'ai déjà passé d'horribles vacances à cause d'un monstrueux coup de soleil. Comme si je pouvais l'oublier. J'ai failli y laisser ma peau[3]. Je promets de faire attention. Doris promet de veiller sur moi. Je précise que je suis bien capable de veiller sur moi toute seule et même de veiller sur Doris s'il le faut.

Une heure plus tard, on se dit au revoir. Instant déchirant. Les gens qui nous observent croient sûrement que je pars au Kazakhstan pour cinq ans. Je reviens mardi prochain et je logerai dans un hôtel cinq étoiles.

– Pas de folie, pas d'imprudence, pas de drame, hein ?

– Promis, maman.

3. Voir *Mon coup de soleil*

– Je parlais à Doris, ma chérie.

C'est le moment de franchir la première épreuve : le contrôle de l'aéroport. J'ai tellement peur que ma tante Doris complique tout. Elle va passer la première. Ça va biper. Je le sens. Avec Doris, rien n'est jamais simple, je ne vois pas pourquoi ce serait différent aujourd'hui[4].

– Toujours stressant… On sait jamais avec la sécurité, me souffle ma tante.

– Qu'est-ce qu'on sait jamais ?

Je ne le saurai pas.

Doris traverse l'arche de sécurité comme un couteau dans du beurre mou. Aucun problème. Aucun bip. Aucun drame. La voilà de l'autre côté. Toute souriante. J'avais imaginé cette étape beaucoup plus complexe, je ne sais pas

4. Voir *Mon Noël d'enfer*

pourquoi. Elle remet ses souliers, sa ceinture et glisse son ordinateur portable dans son sac à dos. Tout est beau.

C'est à moi de passer.

Je suis tout excitée. C'est mon premier voyage en avion à vie. Je me souviens de mon premier vrai voyage sans ma famille, avec les parents de Ge. On était partis avec une toute petite roulotte. C'était raté, mais Ge et moi, on était tellement énervées[5].

Bon.

Je dois y aller. J'ai peur. Peur qu'on m'arrête. Peur d'avoir fait un truc pas correct sans avoir rien à me reprocher. La dame derrière le comptoir me fixe sans sourire. Elle soupire. Elle s'impatiente.

– Quoi ?

– Allez ! Avance !

5. Voir *Mon premier voyage*

Elle n'est pas de bonne humeur. Les gens derrière moi non plus. Il ne faut surtout pas que ça bipe. J'ai chaud. Je traverse len-te-ment.

Et ça bipe.

– Qu'est-ce qui se passe ?

La dame ne me répond pas. L'homme qui vide tout le contenu de mon sac à dos non plus. On me demande de traverser à nouveau. J'obéis. Sans rien dire. Je lance un regard inquiet vers Doris, qui ne comprend pas. Je passe à nouveau.

Ça bipe encore.

Je suis pieds nus, je n'ai pas de ceinture, je ne porte rien qui soit en métal, je ne suis pas armée, je n'ai pas de bombe artisanale, mais ça bipe chaque fois que je passe. Tout le monde me soupçonne d'être une terrible

terroriste qui veut détourner l'avion. La dame procède à une fouille et... finit par trouver une arme sur moi. Dans une des poches arrière de mon jeans. Mon vieux petit porte-clés avec au bout un mini-coupe-ongles.

On me le confisque. Sans même me poser de question. Pas de compassion. Personne n'est désolé. On le jette dans une boîte comme s'il s'agissait de la pire des vieilles cochonneries.

– C'est un souvenir de ma grand-mère, je leur dis.

Alors, on me donne le choix: soit je reste avec le porte-clés souvenir de ma grand-mère, soit je pars en vacances pour une semaine avec ma tante. La décision la plus bizarre que j'ai eu à prendre dans ma vie.

Doris intervient:

– Mais qu'est-ce que vous pensez qu'elle peut faire avec un vieux coupe-ongles rouillé qui ne coupe même plus?

– Madame, s'il vous plaît…

– Vous n'allez quand même pas le mettre à la poubelle? C'est un souvenir de mamie Vaillancourt!

– Doris, s'il te plaît…

L'avion décolle.

Je suis assise côté hublot avec vue imprenable sur l'aile gauche. À côté de moi, Doris lit, avec un sérieux qui fait peur, le dépliant des directives de sécurité en cas d'écrasement d'avion. Est-ce que je file tout droit vers le cauchemar prédit par mon grand frère? Peut-être. Mais il est trop tard pour reculer. À moins de détourner l'avion, mais je n'ai plus mon vieux mini-coupe-ongles.

– Vraiment *cute*..., me souffle soudain Doris.

– Quoi ?

– Le petit jeune homme qui vient de passer...

– Vraiment pas mon genre, je rétorque à la vitesse de l'éclair.

Je l'avais remarqué aussi.

On s'empresse de nous servir à manger pour faire passer le temps. Une espèce de bouillie à base d'œuf caoutchouteux dans un bouillon tiède au fond d'une barquette en styromousse. En voyant la barquette, je repense à la formidable sculpture que j'avais faite avec Gamache en récupérant toute la styromousse des voisins[6]. Projet écologique ambitieux. Je m'ennuie de Gamache. J'espère que sa peine d'amour s'effrite un peu. À mon retour, je le sortirai de sa torpeur.

À mon retour, c'est la rentrée scolaire à l'école du Phare !

Il ne faut pas que j'y pense.

Il ne faut pas que j'oublie de ne pas y penser.

Le gars que Doris trouve si beau se retourne souvent vers nous. Le genre blond, bronzé, sourire parfait, démarche confiante, chemise colorée, espadrilles trop *cool*. Les gars parfaits sont les pires. Quand j'étais jeune et naïve, j'aurais probablement soupiré, rêvé, imaginé tout plein de scénarios de vacances avec lui, et des couchers de soleil, et des moments romantiques. Pfft ! Terminé.

6. Voir *Mon coup de foudre*

Maintenant, je fuis.

– Il se retourne encore ! Hi ! hi ! hi !

– Commence pas, Doris…

– Tu vas peut-être te faire un petit amoureux en voyage, Laurence…

– Un amour de vacances, c'est nul, Doris. On se voit pendant une semaine, après on est loin, on s'ennuie, on a de la peine, on a mal. À éviter, comme l'eau du robinet là-bas.

– Tu es très sage, ma petite Laurence…

– Hyper mature !

Doris s'est endormie.

L'avion traverse une zone de turbulences et l'océan est en dessous. Ça ne fera pas boum, ça va faire sploutch, si on tombe. Heureusement, je suis meilleure nageuse qu'avant. J'ai quand même déjà sauvé la vie du dentier d'une vieille dame dans une piscine, moi[7]. Je prendrai les opérations en main.

Je n'aime pas trop l'avion finalement. Je manque d'air. J'écoute un film trop long sur un écran trop petit et j'ai vraiment hâte d'arriver.

Le gars de l'avion s'est endormi.

Le toit de l'aéroport est en feuilles de palmier. Il fait 400 degrés. Le gars de l'avion galope à côté de moi. Je fais celle qui ne le voit pas. Il presse le pas. J'accélère. Il me rattrape.

– J'aime pas trop l'avion, moi. On étouffe là-dedans. Tu trouves pas ?

7. Voir *Mon plus grand exploit*

Je hausse les épaules et continue mon chemin. Je pense comme lui, mais pas question de nous découvrir des points communs. Amorcer une conversation serait mettre le pied dans le piège. Je vais rejoindre Doris près du grand carrousel des valises.

Nous montons à bord d'un minibus climatisé plutôt confortable. Une dame dominicaine attache un bracelet de plastique mauve autour de nos poignets. Nous devons le porter toute la semaine.

– C'est le bracelet qui donne droit à tout, tout, tout ! s'énerve ma tante Doris.

J'ai hâte de voir ce que le mot *tout* signifie dans le contexte d'un voyage gagné sur Internet. Petite pensée pour mon frère…

Le minibus est plein à craquer. Le gars de l'avion est monté lui aussi, avec sa famille, un père, une mère, une petite sœur. Il a lui aussi un bracelet qui donne droit à tout, mais je n'imagine rien.

– Bon vacanzes et bon zoleil ! nous dit gentiment la dame quand nous descendons du minibus.

– Bon vacanzes et bon zoleil à vous aussi, je réponds machinalement en admirant la somptueuse façade de notre chic hôtel de luxe cinq étoiles palmiers inclus !

Je n'en crois pas mes yeux. C'est magnifique !

Doris et moi sommes les deux premières à descendre. Les deux seules. Petit coup d'œil rapide vers le minibus. Le gars de l'avion ne sera pas au même hôtel que nous. Tant mieux. C'est parfait comme ça. Tout est bien qui finit bien. Rien n'arrive pour rien.

Le minibus démarre, le gars me fait un petit signe de la main. Je le salue aussi. Ses yeux sont turquoise. J'ai toujours préféré les noirauds.

Deux messieurs dominicains en livrée s'empressent de prendre nos valises pour les porter à notre chambre.

– *Hola !* fait celui qui part avec la mienne.

– *Hola !* je m'exclame aussitôt.

Entre nous, je ne sais pas à quel moment je vivrai la grande catastrophe prédite par mon pessimiste de frère, mais en voyant le luxueux hall d'entrée et en savourant le petit cocktail de fraises fraîches avec glaçons, j'avoue que j'ai moins de craintes. En fait, je n'en ai plus. Doris et moi allons vivre des vacances de rêve ici. Je le sais.

Tout est beau, et chic, et chaud. On dirait un décor de film.

– Tout de même dommage qu'il ne soit pas au même hôtel que toi…, soupire Doris.

Aucune réaction de ma part.

– Bah ! Au fond, tu as raison, ma Laurence. Les amours de vacances sont souvent cruelles.

– Voilà !

Sage Doris…

Un serveur nous offre un deuxième petit cocktail. Un genre de *slush* de luxe. Je suis aux anges et je lui lance :

– *Gracias !*

– Tu parles bien l'espagnol, Laurence ! s'emballe Doris.

Je ris. Je connais six mots : *Hola*, *gracias*, *como te llamas* et *amor*…

– C'est formidable ! ajoute-t-elle. Tu vas pouvoir tout me traduire.

J'ai bien fait d'apporter un dictionnaire.

J'ai hâte de voir la mer. La grande Marie-Michelle dit toujours qu'ici, l'eau est émeraude et le sable aussi doux que du sucre à glacer.

Petite crainte qui monte. Et si c'était dans les chambres que se révélait la pire des arnaques ?

Nous avançons.

Jardins intérieurs. Flamands roses. Fontaines. Fleurs. Piscines.

Dans la chambre, on a étalé des pétales de roses fraîches. Les serviettes de bain sont savamment pliées en forme de cygne. Il faut bien se rendre à l'évidence : Doris a gagné le gros lot.

J'aimerais tellement pouvoir montrer des photos à mon frère. Mais je n'ai pas Internet. Il faudrait payer à la minute. Mon budget ne me le permet pas. Celui de Doris non plus.

Je repense à toutes les menaces, à l'eau qu'il ne faut pas boire, aux moustiques porteurs de maladies mortelles, à la nourriture qui peut transmettre des trucs moches et aux ouragans qui font disparaître les hôtels.

Jusqu'à maintenant, tout est si parfait.

Un groupe de musiciens dominicains anime la soirée. Pas mon style, mais dans le contexte, c'est amusant. Des animateurs invitent les gens à danser. L'un d'eux s'approche de Doris. Il est vieux. L'âge de Doris. Genre 30, 35 ans. Il

prend sa main et l'invite. Doris n'a aucun sens du rythme. C'est la pire danseuse que je connaisse, mais elle accepte.

Ils dansent donc.

Ils dansent sur la chanson suivante. Et sur celle qui suit. L'animateur est tellement doué que même ma tante Doris semble connaître parfaitement les pas. Ils sont presque beaux. On dirait un couple.

– Aaaah…, fait-elle en se laissant tomber sur le petit fauteuil de rotin.

Elle a l'air épuisée. Elle vide mon verre de limonade d'un trait.

– Ça va, Doris ?

Elle ne me répond pas.

Je finis par m'inquiéter un peu. Aurait-elle bu l'eau du robinet dans la chambre d'hôtel ? Je l'ai pourtant prévenue, mais je ne peux pas toujours la surveiller.

– Tu n'as pas l'air bien, Doris. Es-tu étourdie? As-tu mal au ventre?

– Il s'est passé quelque chose entre lui et moi quand on dansait, Laurence…

– Quoi?

– Une espèce de courant électrique…

– C'est un a-ni-ma-teur, Doris. Il danse avec tout le monde et n'importe qui.

– Mais c'est moi qu'il a invitée.

– Il est payé pour divertir les touristes.

– Avec moi, c'est différent…

– Non, Doris.

– Il s'appelle Raoul.

– Ça ne change rien.

– L'énergie circulait. C'est difficile à expliquer.

– C'est difficile à croire surtout. Observe-le deux minutes. Tiens! Il danse avec une autre…

– Mais il me regarde.

– Il ne te regarde pas, Doris.

– Il pense sûrement à moi en tout cas.

Un deuxième animateur s'approche de nous. Cette fois, c'est moi qui suis invitée à danser. Une dame hurle dans un micro:

Uno, dos, tres, quatro

clap clap clap!

J'indique clairement à l'animateur que je ne suis pas du tout, du tout intéressée. Il insiste. Je lui dis dans mon espagnol à moi:

– *Désola mais no dansa le clap clap clap!*

Je ne sais pas ce que l'homme a compris, mais je me retrouve au centre de la piste en train d'apprendre des pas de danse. Deux pas devant, clap, deux pas derrière, clap, pivot à droite, pivot à gauche et on reprend et clap et clap et... aaaaaaaaaah ! C'est trop pour moi. Je suis incapable de coordonner mes mouvements avec ceux du groupe. Heureusement, ici personne ne me connaît. J'imagine la tête que feraient Geneviève et Gamache s'ils me voyaient en ce moment. Ce serait tellement tordue.

– Regarde qui est là, Laurence, me lance soudain ma tante Doris, revenue sur la piste de danse avec son beau Raoul.

Elle me pointe le gars de l'avion.

– Qu'est-ce qu'il fait ici ?

– Ils se sont trompés d'hôtel...

Elle m'adresse un clin d'œil.

– Tu lui as parlé ou quoi?

– Il est très gentil.

– Qu'est-ce qu'il t'a dit?

– Attention à tes pas, Laurence! Et clap clap clap!

Doris m'énerve. Elle insiste pour que j'aille voir le gars de l'avion, qui est tout seul. Elle me fournit même quelques conseils plutôt nuls pour amorcer la première conversation. Je ne l'écoute pas. Je ne l'entends plus.

Doris danse toujours avec son Raoul. Je n'ose même pas imaginer la suite de son histoire. Les larmes. La peine. Et qui devra la consoler dans l'avion? Qui ramassera sa tante Doris en miettes? C'est moi.

Chaque fois qu'elle vient à la table pour reprendre son souffle, elle me bombarde des mêmes questions. Et je lui réponds chaque fois que, non, je n'ai pas encore parlé au gars de l'avion et que, oui, je m'amuse quand même et que, oui, je trouve que Raoul a vraiment l'air charmant.

Le gars de l'avion a disparu. Je rentre de cette soirée épuisée.

Éviter les pièges demande aussi beaucoup d'énergie.

Pas question de rater la mer ! Il fait chaud, ce matin. Le soleil nous cuit déjà.

– J'espère qu'il y a plusieurs *palapas* ! je dis à Doris en marchant vers la plage.

– On vient de déjeuner, Laurence…

– Un *palapa*, c'est un parasol avec un toit en feuilles de palmier, Doris.

– Ah ! je te trouve tellement chanceuse de savoir parler l'espagnol, Laurence !

– Je ne sais pas parler espagnol, Doris.

En arrivant sur la plage, ma tante s'impose dans une équipe de volleyball. Je m'installe à l'ombre d'un *palapa*. Je l'observe. Son beau Raoul est encore là. Les autres ont l'air de moins rigoler depuis qu'elle fait partie de leur équipe. Doris rate tous les coups possibles, elle s'excuse pour la manchette, elle est désolée pour la touche et demande si elle peut recommencer son service pour la quatorzième fois. Elle s'amuse.

Tout le monde dit que je lui ressemble. Doris, c'est un peu moi, en plus vieille mais en beaucoup moins mature.

On annonce maintenant une session de *work-out*. Doris s'inscrit. Devinez qui est l'animateur du *work-out* ?

Raoul est partout. Il anime tout. Et Doris ne s'en plaindra pas.

– Bois de l'eau, Doris… Tu vas te déshydrater !

Elle ne m'entend pas. Elle ne m'écoute pas. Je ne serais plus là qu'elle ne le remarquerait même pas. L'entraînement sous le soleil de plomb épuise tout le monde. Même ceux qui regardent les participants. Même moi. J'ai peur pour Doris. Elle n'a plus l'âge pour les exercices intenses au soleil. S'il fallait qu'il lui arrive quelque chose, je m'en voudrais tellement. Je dois la surveiller sans arrêt. Il serait temps qu'elle applique sa crème solaire…

Le gars de l'avion est sur la plage lui aussi.

Toujours aussi blond, bronzé, sourire parfait, lunettes de soleil, maillot trop *cool*. Et toujours pas mon genre. Il sculpte un énorme crocodile en sable avec une fillette aussi blonde que lui. Sa petite sœur. Il lève la tête, me sourit, me fait signe de les rejoindre. Doris surgit au bon moment, ouf ! Elle m'entraîne vers la mer. L'idée est excellente. Je plonge tête première.

Et j'avale l'équivalent de 40 litres d'eau salée.

– Ils ne lésinent pas sur la quantité de sel ici ! Ha ! ha ! ha !

Doris se trouve drôle.

– Remarque, ce sont les voyageurs qui payent. C'est dispendieux, le sel de mer…

Elle rit. Elle est tordue. Elle avale une vague à son tour. Elle a failli perdre son maillot. Misère…

Nous sortons de l'eau. Le gars de l'avion est parti, mais son crocodile est resté. J'avoue qu'il est vraiment, vraiment très beau.

Je parle évidemment du crocodile.

Étendue sur ma chaise longue, je ferme les yeux et j'imagine le plus horrible des scénarios. Supposons que je fais connaissance avec le gars de l'avion... Supposons qu'il est génial et que nous vivons des moments inoubliables. Pire : supposons que je réalise que c'est l'amour de ma vie et que nous habitons à des milliers de kilomètres l'un de l'autre. Je pense à la séparation déchirante, aux larmes, aux adieux. Lui, au loin. Moi, dévastée. On ne se reverra jamais !

NON MERCI !

J'ouvre les yeux. Doris a disparu. Où est-elle passée encore, celle-là ?

Doris répète qu'elle ne veut plus manger. Qu'elle préfère rester au lit. Qu'elle ne sortira pas. Qu'elle va regarder la télé jusqu'à mardi prochain.

Et voilà. Je l'avais prédit. Elle est amoureuse.

– Doris, on ne vient pas en République dominicaine pour rester couché devant la télé.

– Je déprime trop...

– Pas à cause de Raoul ?

– Va lui dire...

– Que tu déprimes à cause de lui ?

– Parle-lui de moi, toi qui connais si bien l'espagnol. Explique-lui à quel point je suis formidable, Laurence. S'il te plaît...

– D’abord, je ne sais pas parler espagnol et même en français, je ne le ferais pas.

– Tu penses que c’est sans espoir ?

– Je te le dis depuis le début.

Elle ramène sur elle ses couvertures et ferme les yeux.

– Il faut que tu te changes les idées, Doris.

– Laisse-moi dormir…

– Non.

– Chuuut !

– Doris, on est au paradis ici ! Tu ne vas pas tout gâcher à cause de ton Raoul…

Elle se redresse comme un ressort. Les couvertures volent. Elle saute du lit.

– Tu as parfaitement raison, ma belle Laurence ! On est jeunes et en santé ! Profitons de la vie !

– Parfait !

– Bougeons !

– Super !

Elle s'empare d'une pile de petits dépliants qui traînent sur la table de chevet et annonce :

– On part en expédition !

– Ouiii ! On va faire de la plongée en apnée ! La grande Marie-Michelle dit que c'est génial...

Elle ne m'écoute pas.

– On pourrait visiter la fabrique de cigares, les plantations de café, se balader en catamaran, explorer des grottes... Oh ! on devrait aller prendre un petit dîner sur une île déserte ! C'est le rêve de ma vie de me retrouver perdue sur une île, pas toi ?

– Doris, on serait sûrement une cinquantaine de touristes sur ton île déserte…

– Tu as raison. La fabrique de cigares alors ?

– Moi, les cigares…

Pas facile de trouver une activité qui nous emballe toutes les deux.

– Je l'ai ! hurle Doris. Je l'ai ! Je l'ai ! Je l'ai ! Ah ! c'est formidable ! Laurence, on part en safariiiiii !

Je jette un œil rapide sur le petit dépliant qui parle du fameux safari. Rien ne me tente moins que cette espèce de rallye dans la brousse…

– Pour voir trois singes et un perroquet, c'est beaucoup trop, quatre heures de route, Doris. Il fait tellement chaud. Profitons de la mer.

– Ça va être gé-ni-al ! Ah ! la bonne idée !

– Depuis quand tu t'intéresses tant à la brousse, toi ?

Je comprends sa passion soudaine pour la faune et la flore dominicaines quand j'apprends qui organise l'expédition.

Raoul.

Le départ est prévu à 9 h 30.

La chaleur est déjà torride. J'aurais vraiment préféré observer les poissons tropicaux dans la mer des Caraïbes, mais tant pis. Le minibus est bondé. Le gars de l'avion est là, avec sa famille. Il a la tête de celui qui aimerait mieux être ailleurs lui aussi.

Nous roulons, roulons, roulons.

Et roulons.

Comme le chauffeur n'est pas Raoul, que le guide de l'excursion n'est pas Raoul et que l'animateur dans la brousse ne sera exceptionnellement pas Raoul puisqu'il travaille à l'hôtel aujourd'hui, Doris est un peu moins enthousiaste.

Elle ne l'est plus du tout, en fait. Depuis le départ, je l'entends ronchonner :

– La brousse, la brousse… Est-ce qu'on avait vraiment besoin de voir la brousse ?

– C'est ton idée, Doris. Moi, je voulais nager avec les poissons tropicaux.

– J'ai tellement chaud.

– À l'hôtel, on avait la mer, les *palapas*, les jus glacés.

– Et Raoul…

– Quoi ?

– Rien.

J'ai très bien entendu.

Le chauffeur conduit trop vite et très mal. On croise des dizaines de scooters qui filent à toute allure, en sens inverse, avec trois passagers sans casque et sans policiers à leurs trousses.

Doris maugrée, regrette, gémit, m'énerve.

Elle a oublié le chasse-moustiques, la crème solaire, sa bouteille d'eau et répète qu'elle n'est même pas chaussée pour la marche. C'est vrai. La brousse en sandales de plage, ce n'est pas l'idéal. Ça me rappelle l'interminable expédition en montagne que j'avais faite en petites espadrilles de toile. Je jouais les grandes expertes en trekking simplement pour être en compagnie du beau Vincent, le cousin de Geneviève. La pire expédition de ma vie[8]. J'étais jeune et naïve l'année dernière.

Nous voilà dans la brousse ou presque. Il était temps.

Nous devons maintenant embarquer dans un gros camion grillagé. Nous marchons tous en file. Doris est derrière moi. Je l'entends encore ronchonner.

Elle n'a pas fait trois pas qu'elle se met à crier. Je me retourne. Elle se tient le bras. Elle grimace.

– Bon. Qu'est-ce qui se passe, Doris ? Tu as mal au bras ?

– Je pense que je viens de me faire piquer.

– Piquer ?

– C'est rien… Avance, Laurence.

8. Voir *Ma première folie*

Je panique. Je l'entraîne à l'écart.

– Doris ! Sais-tu qu'ici, les moustiques transmettent la mort ?

– Mais non.

Je vais risquer une autre question. Il faut qu'elle me réponde « oui ».

– As-tu déjà reçu des vaccins, Doris ?

– Non.

– Fièvre jaune…, je marmonne.

– Qu'est-ce que tu dis ?

Je ne répète pas.

Ma tante Doris vient d'être attaquée sauvagement par un moustique mystère. Il faut agir rapidement ! Il faut faire quelque chose ! Mais faire quoi ? Aucune idée. Je reste là, à la regarder, les bras ballants, la bouche ouverte. Il passerait un moustique porteur de fièvre jaune que je l'avalerais.

Doris sent bien que je panique. Et plus je panique, moins elle va bien. Je me rue vers le guide qui nous accompagne. Il ne parle que l'espagnol. Je lui explique la situation du mieux que je le peux avec mon petit dictionnaire.

Il éclate d'un grand rire sonore capable de réveiller la brousse entière.

Il n'a rien compris de ce que j'ai dit.

– C'est peut-être le *mosquito* de la mort ! je précise en haussant le ton.

– *Mosquito del amor* ? Ha ! ha ! ha !

– Pas le moustique de l'amour ! Le moustique de la mort !

– *Si, si, si ! Amor, amor*… Ha ! ha ! ha !

Je ne m'en sortirai pas toute seule. Et Doris non plus.

– *Doctorino ? Doctoro ? Doctoros ?* Comment dire *docteur* en espagnol ?

Un œil vers ma tante. Elle est verte. Du moins, il me semble. Elle est pâlotte en tout cas. Elle tremble. C'est un signe de fièvre.

– As-tu besoin d'aide ? intervient soudain le gars de l'avion.

Cette fois, je suis vraiment, mais vraiment contente de le voir arriver.

– Est-ce que tu parles un peu espagnol ? je demande, paniquée.

– Anglais, français, espagnol, allemand.

C'est bien le temps de se vanter…

Je lui décris rapidement la situation critique dans laquelle se trouve ma tante Doris. Il s'empresse de faire la traduction au guide.

Ils discutent.

C'est long.

C'est interminable.

Je finis par les interrompre.

– Mais qu'est-ce qu'il dit ?

– Qu'il va falloir amener la dame…

– Où ça ?

Ils échangent encore quelques phrases. Je m'énerve.

– Qu'est-ce qu'il dit là ?

– Qu'il connaît quelqu'un qui pourrait la soigner.

Le guide ajoute quelques mots.

Cette fois, le gars de l'avion fronce les sourcils. Il a l'air soucieux. Il me regarde, mais ne traduit pas.

– Traduction, s'il te plaît !

Il hésite.

– Allez !

– Il dit que la rivière finit toujours par trouver son chemin même à travers les pierres.

– Hein ?

– Il dit qu'il va vous conduire chez l'homme qui zigouillait les iguanes.

– C'est quoi, ces phrases-là ? Es-tu certain de bien traduire ?

– J'avoue que c'est pas trop, trop rassurant…

– Dis-lui que j'accepte. Il faut soigner ma tante…

Il traduit.

– J'y vais avec vous, annonce le gars de l'avion. De toute façon, j'ai pas envie de faire un safari dans une cage. Je rêvais de faire de la plongée en apnée, moi.

– Ça va aller. Merci.

– Sûre ? Ça me fait plaisir…

– Non, c’est beau.

Je vais trouver Doris. Elle est assise par terre, adossée au muret de briques rouges. Je lui apprends qu’on va la transporter chez le grand spécialiste du village qui prendra bien soin d’elle. Je ne précise pas qu’il s’agit du zigouilleur d’iguanes cependant.

C’est déjà bien assez compliqué.

Le gars de l’avion monte à bord du gros camion sans moi. Je grimpe dans une vieille jeep sale sans toit. J’aurais peut-être dû accepter qu’il m’accompagne…

Oui, j’aurais dû.

C’est bien moi.

Moi et les regrets.

Tant pis.

Nous roulons depuis deux bonnes heures sur de petites routes de terre cahoteuses. Doris s'est endormie sur mon épaule. Le soleil plombe. La poussière lève. La mer est loin. Ma mère aussi.

Au milieu d'un immense champ, j'aperçois une hutte en paille qui s'envolera sans doute au prochain coup de vent. La jeep bifurque à travers les herbes et s'arrête devant l'habitation. Quand le guide coupe le moteur et descend de la voiture, je m'inquiète un peu.

– C'est quand même pas le bureau du médecin ?

Il n'a pas compris ma question.

Je réveille Doris. Elle a des vertiges maintenant. Je la soutiens et nous entrons dans la hutte. Un petit homme en robe longue avec des dizaines de colliers en ivoire autour du cou nous accueille avec un grand sourire édenté.

Il doit avoir 150 ans. Peut-être plus.

Doris s'étend sur une espèce de lit de camp en coton jauni tenu par deux branches piquées au sol. Rien de solide. Rien de rassurant non plus.

Je m'assois par terre à côté d'elle et je prends sa main.

– Laurence..., marmonne ma tante, la bouche molle.

– Je suis là, Doris. Tout va bien aller. Tu es en sécurité ici.

J'essaye de me convaincre aussi. Qu'est-ce qu'on peut dire à sa tante qui vient de se faire piquer par le pire des moustiques mortels ? La vie ne nous prépare pas à tout.

L'homme de la jeep est en grande discussion avec le petit monsieur sorcier. Il regarde Doris gravement. Il hoche la tête et commence à broyer des herbes dans un mortier. Il s'approche ensuite de ma tante, pose ses mains sur son front en faisant des incantations du genre : « Ma yaya bou bit chou walawala bimalayatchou bi bop a lu la. »

– C'est quoi ces « ma yaya boutchou » là ? je demande au guide, qui a les yeux fermés.

Il ne me répond pas. On dirait qu'il prie.

Il prie.

Une dizaine de lampions sont allumés autour de Doris. Les herbes broyées brûlent maintenant dans un grand bol de terre cuite et répandent des parfums de vanille, de café, de vieux cigare et de toilette chimique. J'ai mal au cœur. J'ai peur de me retrouver moi aussi sur le lit de camp. Doris ne bouge toujours pas. Elle ne sourcille pas. Elle est là, blanche, inerte, sans expression. Trois possibilités : soit elle dort, soit elle a perdu connaissance, soit on l'a empoisonnée.

Au bout d'une heure et demie d'émotions en dents de scie, d'espoir et d'étourdissements, le sorcier souffle sur les lampions. Il avance lentement vers moi en traînant ses sandales trouées, pose sa main sur mon épaule et m'annonce la pire des nouvelles:

– *Finito.*

Le choc!

J'avale. Je panique. Mon cœur s'arrête.

– *Finito*? je répète en regardant ma tante. Doris est finie?

Elle est encore plus blanche que tout à l'heure.

– *Si, si... Terminado...*, renchérit le manitou.

– Doris *terminado*?

– *No, no, no!* rigole le petit sorcier.

– Ah! fiou!

L'homme qui zigouillait les iguanes plonge alors ses grands yeux sombres dans les miens et ajoute en murmurant:

– *24 horas…*

– 24 heures ? je répète, encore plus paniquée. Qu’est-ce qui va se passer dans 24 heures ?

– *24 horas y todo ha terminado.*

– Dans 24 heures, tout sera terminé ? C’est ça ? Il ne lui reste que 24 heures à vivre ?

– *Si, si…*

– Sûr ?

– *Si, si…*

J’espère avoir mal saisi. Sur Internet, j’aurais déjà la traduction. Personne n’a jamais pensé installer un accès sans fil dans cette hutte ? Je fouille dans mon dictionnaire. Je cherche. Un mot, puis un autre. C’est bien ce que je craignais.

Dans 24 heures, tout sera terminé pour Doris.

Ma tante ouvre les yeux. Dans les circonstances, c'est comme un cadeau. A-t-elle entendu le verdict final du sorcier ? Je souhaite que non. Elle n'a pas à savoir qu'il ne lui reste que 24 heures.

Elle sourit.

– Je vais mieux, Laurence ! Même que je vais très bien !

– Mais non, Doris. Tu ne vas pas bien.

– La fièvre est tombée en tout cas.

– Le verdict aussi..., je marmonne pour moi-même.

Elle se lève. Elle serre la main du sorcier. Le remercie pour les bons soins. Si elle savait...

– Viens, Doris... On va où tu veux.

– On retourne à l'hôtel ?

– Tout ce que tu voudras, ma belle Doris que j'aime.

La fièvre jaune terrasse sournoisement ma tante. Le sorcier nous fait comprendre qu'on lui doit quand même quelques pesos.

Je lui refile tout ce que j'ai et nous filons.

C'est vite passé, 24 *horas*…

La jeep nous ramène au village. Pour revenir à l'hôtel, nous devons prendre une espèce de voiture taxi qui nous ruine, mais tant pis.

– Comment tu te sens, Doris ?

– Très bien. Merci pour tout, Laurence. Je ne sais pas ce que j'ai eu. Un coup de chaleur, une chute de pression.

– Peut-être…

– J'aurais dû déjeuner.

– Et ta piqûre? Ton bras?

– Je ne sens plus rien.

– ...

– Pourquoi tu fais cette tête-là?

Pendant qu'elle se douche, je vais m'asseoir dans le corridor de l'hôtel. Est-ce qu'il lui reste vraiment 24 heures à vivre? Peut-on réellement faire confiance au diagnostic d'un zigouilleur d'iguanes? Est-ce que j'en parle à Doris ou pas? Si oui, comment le lui annoncer? Elle est si pimpante... Mais est-ce le dernier sursaut d'énergie avant la fin? Comment savoir? Qui peut m'aider?

Les gens vont et viennent sans se douter du drame que je vis. Quand j'aperçois le gars de l'avion, je me rue vers lui.

Je lui raconte tout. Il a l'air aussi catastrophé que moi.

– Et elle le prend comment ? me demande-t-il gravement. Elle doit paniquer ?

– Elle le sait pas encore...

– Elle sait pas qu'il lui reste 24 heures à vivre ?

– Tu penses que je devrais lui dire ?

Il hausse les épaules.

Quand je reviens dans la chambre, Doris a mis sa petite robe bleue et remonté ses cheveux. Elle rayonne, la pauvre tante. Elle a tellement l'air en forme que c'est triste à voir.

– Doris...

– Après le souper, on ira acheter des petits souvenirs pour la famille, Laurence. Je meurs de faim. Toi ?

– J'ai quelque chose d'important à te dire, Doris.

Je respire profondément. Et je lui annonce la nouvelle en citant les mots du sorcier:

– *24 horas y todo ha terminado…*

Le choc est terrible pour ma tante.

Elle a tiré les rideaux. Elle est assise dans le lit avec un calepin et un crayon. Elle n'ira pas souper. Elle n'ira pas acheter de souvenirs ce soir. Elle dit qu'elle ne dormira pas de la nuit pour savourer chaque seconde qui lui reste.

– Qu'est-ce que tu écris, Doris?

– Mes mémoires.

– Le sorcier s'est peut-être trompé. Attendons de voir ce qui se passe!

– Laurence, si demain je suis toujours en vie, on fêtera. Si je suis morte, je serai bien contente d'avoir rédigé mes mémoires.

Je lui enlève le crayon et le calepin des mains. Je les enfonce dans mon sac à dos.

– Debout, Doris ! S'il te reste 24 heures, profites-en au max !

On frappe à la porte. Je sursaute. Je vais ouvrir. C'est le gars de l'avion qui demande des nouvelles.

Je ferme rapidement la porte derrière moi. Je ne veux pas que Doris entende notre conversation. Il me suggère de venir parler à ses parents. Ils pourraient conduire Doris dans un hôpital...

– Qu'est-ce qu'elle a exactement ? Qu'est-ce qu'il a dit, le guérisseur ?

– Rien de précis. Pas de nom de maladie. Il a dit : « *24 horas y todo ha terminado...* »

– C'est tout ?

– C'est déjà beaucoup.

– C'est peut-être son malaise qui sera terminé dans 24 heures ?

– Ben là...

Je rentre annoncer la nouvelle à ma tante. Je m'excuse. Je lui explique que j'étais trop énervée, que j'ai sûrement mal compris, que ce sont des choses qui arrivent quand on apprend une mauvaise nouvelle dans une autre langue que la sienne. Je lui répète que tout va bien.

Rien à faire. Elle ne me croit pas.

– Il me reste à peine 18 heures, maintenant, Laurence. Il faut l'accepter...

– TU N'ES PAS malade du tout, Doris !

– On dit ça et le lendemain, paf !

Elle ne m'écoute pas. Elle est dans le déni de la guérison, elle ajoute qu'elle me lègue sa collection de chiens de porcelaine.

Heureusement, elle finit par s'endormir.

Je surveille tout de même le rythme de sa respiration toutes les demi-heures, juste au cas. Mais tout va bien.

Le soleil est à peine levé quand Doris bondit hors de son lit. Elle tire les rideaux pour laisser entrer la lumière dans la chambre.

– Je suis toujours là, Laurence ! Un vrai miracle !

– Super…, je grommelle, encore tout endormie.

– Lalalalalala… Lalalalalalala !

– Moins fort, Doris...

La journée de la résurrection de ma tante Doris est parfaite. Les suivantes aussi. On mange tout plein de trucs chouettes, on se baigne dans les vagues trop salées, on relaxe sous les *palapas*, on profite de tout. Le soir, on danse même *uno, dos, clap !* On est sûrement les deux pires danseuses de la terre.

Raoul est toujours aux petits soins avec nous. Et ma tante Doris est radieuse quand il est dans les parages.

Moi, je n'ai pas revu le gars de l'avion. Il a quitté l'hôtel de toute urgence, paraît-il. Raoul nous a raconté que sa mère s'est fracturé le bassin lors d'une chute spectaculaire pendant une compétition de limbo. C'est du moins ce que j'ai compris. Je ne suis pas certaine pour le limbo. Ni pour la fracture. Et ce n'est peut-être pas non plus au bassin qu'elle a une blessure. En fait, depuis le verdict du sorcier, je ne suis plus trop sûre de mes traductions. Ce que je sais cependant, c'est que je ne reverrai plus jamais le gars de l'avion. Je n'ai pas son adresse. Je ne connais même pas son nom. Son départ précipité me prouve à quel point j'ai eu raison de ne pas me faire d'idées, de rester loin de cette histoire qui serait déjà terminée. Je serais dans un piteux état en ce moment. Je me connais. Je m'ennuierais. Et je penserais à lui. Ce qui n'est pas le cas. Heureusement. Pour une fois, j'ai bien fait de suivre mon instinct.

Qui n'a rien ne perd rien. C'est ma nouvelle philosophie.

Nous quittons la République dominicaine demain matin.

Très tôt.

À l'aéroport, je réussis ENFIN à lire tous mes messages sur mon téléphone. Ma mère m'a écrit 27 fois. J'ai l'impression d'être partie depuis six mois.

Il est 8h40.

Je suis dans l'avion, dans les nuages, et à l'école du Phare, la cloche vient sans doute d'annoncer le début des cours. Je rate la première matinée. Rien de bien dramatique, mais quand j'arriverai, tous les élèves auront une longueur d'avance sur moi, un casier, une place à la cafétéria et des amis. Si, au moins, j'allais rejoindre un ou une complice, je serais déjà plus détendue.

Nous atterrirons vers midi. L'idéal, ce serait qu'on me jette en parachute sur le toit de l'école (à condition bien sûr de ne pas terminer mon vol plané dans le cimetière en face). Ma mère m'a inscrite, sans me consulter, à une activité parascolaire. Radio étudiante. J'ai une première réunion à 12 h 30. Je ne veux pas être en retard.

J'ai un coup de soleil sur le nez. Je n'ai même pas de vêtements propres dans ma valise. Dans mon sac à dos, un stylo, un calepin de notes et du sable.

Ma tante Doris n'est pas très bavarde, ce matin. Je l'observe du coin de l'œil. Elle dit qu'elle médite sur le sens de la vie. Je pense plutôt qu'elle médite sur les chances qu'elle a de revoir son Raoul, un jour.

Il a promis de lui écrire. Elle a juré d'apprendre l'espagnol.

Pauvre Doris…

Il est 12 h 10. Nous quittons le stationnement de l'aéroport.

Il tombe une pluie fine et triste. Doris, au volant de sa vieille Fiat jaune, devrait filer à toute allure. Je lui demande de faire vite. J'insiste. J'essaye d'être patiente, mais je n'en peux plus.

– Doris, c'est moi ou tu roules comme une tortue ?

– Laurence, quand on a frôlé la mort, on réalise à quel point le temps est précieux.

– Peut-être, mais j'ai une réunion à 12 h 30. Dépasse le petit monsieur qui roule à 30 kilomètres à l'heure, s'il te plaît.

– Il faut savourer chaque moment comme si c'était le dernier.

– Tu commenceras à être zen cet après-midi, OK ?

Elle ne réplique pas. Elle n'accélère pas non plus. Feu rouge qui ne semble pas vouloir tourner au vert. Doris qui laisse passer un cycliste. Doris qui fait signe aux deux piétons de traverser avec leur chien qui décide de s'asseoir tranquillement au milieu de la rue.

C'est un complot contre moi ou quoi ?

– On arrive dans trois minutes, Laurence. Arrête de soupirer.

J'aperçois le grand cimetière, le muret de pierres, le portail. Ma nouvelle école est là, juste en face. J'attrape mon sac à dos sur la banquette arrière, je saute de la voiture, je claque la portière. Oups !

Je reviens et je rouvre :

– Merci pour tout, Doris ! Des vacances que je ne suis pas près d'oublier.

Elle ira porter ma grosse valise chez moi.

Je rentre à l'école du Phare avec un petit mal de ventre de stress de début d'année. Heureusement, le secrétariat est ouvert à l'heure du dîner. Une dame à lunettes dépose son sandwich quand elle me voit arriver au comptoir.

– Je viens chercher mon horaire. Je m'appelle Laurence Vaillancourt.

– Absence motivée ? demande-t-elle en éparpillant un tas de feuilles sur son bureau.

– Quoi ?

– L'école commençait ce matin.

– Je sais, mais j'arrive de vacances.

– On arrive tous de vacances, ma belle.

– Oui, mais moi, c'est plus compliqué.

Elle me remet mon horaire de cours et le numéro de mon casier. Elle retourne s'asseoir et reprend son sandwich. Je retourne à mes angoisses et me dirige vers l'escalier.

Sur l'horaire, on a broché un petit papier bleu :

Réunion radio étudiante

12 h 30

local 0-230

Je n'ai pas le temps d'explorer l'école. Pas le temps de chercher mon casier, non plus. Et encore moins le temps de dîner, de faire des rencontres ou de m'acheter un lait au chocolat. Je descends en vitesse. Un numéro de local

qui commence par 0 se trouve au sous-sol. Une radio étudiante loin du bruit. Normal.

J'aime quand je suis logique.

J'arrive à la course. Je m'arrête. Je vois des armoires de métal, des boîtes qui débordent de livres, des tables empilées, des casiers rouillés, mais pas de local de radio. En fait, pas de local du tout. Personne au sous-sol. Que du béton, du silence et une odeur d'humidité.

Je remonte. Je dérange à nouveau la dame du secrétariat qui déguste tranquillement son yogourt aux petits fruits. Elle ne se lève pas, cette fois. Elle ne pose même pas sa cuillère.

– Je cherche le local 0-230.

– Il n'y a pas de local 0-230 à l'école du Phare, répond-elle sans lever les yeux.

Je lui montre le petit papier bleu.

– C'est pour la radio étudiante. C'est bien écrit 0-230…

– C'est la lettre O, pour ouest. Le local de la radio est dans la vieille partie, au deuxième étage.

– Ah.

– L'aile ouest.

– Merci.

Elle avale une gorgée de café.

– Euh…

Je l'entends soupirer.

– L'ouest, est-ce que c'est toujours à gauche ou ça peut changer d'une école à l'autre ?

Elle ne le sait pas. Les points cardinaux doivent être un mystère pour elle aussi. Tant pis. Je monte. Je cours. Je file au deuxième étage. Une voix nasillarde lance par l'interphone :

– Jour 1. Les élèves de première secondaire inscrits à la radio étudiante ont rendez-vous à 12 h 30 au local O-230, dans l'aile ouest de l'école du Phare.

« J'arrive, j'arrive… »

Je suis une gazelle dans les escaliers. C'est une bonne idée, la radio étudiante. Je pourrais peut-être faire des chroniques sur la musique, la mode, l'amour… Pourvu que je n'arrive pas trop tard. Ils doivent être tous là, bien installés devant leur micro.

Dans ma course, je croise un monsieur chauve en sarrau. Je lui demande de l'aide :

– Je cherche le local de la radio…

– À gauche au bout du corridor. Tu passes la bibliothèque, le labo, tu montes les deux petites marches à droite, tu prends l'aile ouest. Traverse les deux grosses portes, devant le local tu vas voir un vieux banc.

« Tout droit, l'aile ouest, des petites marches, des grosses portes, une bibliothèque, un vieux banc, misère ! »

Je me demande si le sarrau est obligatoire pour les profs à l'école du Phare. Pourquoi porter un sarrau ? Pour cacher des vêtements horribles ou pour avoir l'air plus sérieux ? Je ferai peut-être une petite chronique sur les sarraus à la radio. Je pense à Ge. J'aimerais tellement partager ma théorie des sarraus avec elle. On rirait. Je m'imagine en train de chercher le local de la radio avec Geneviève, Gamache, Max Beaulieu ou même la grande Marie-Michelle. Faire de la radio avec eux, ce serait génial. Ils vont vraiment me manquer. Je suis seule au monde ici avec 2 000 élèves autour. Si j'avais le temps, je pleurerais.

Mais d'abord, je dois trouver le local de la radio.

Je passe le labo, je prends les deux petites marches, j'emprunte l'aile ouest. C'est tout simple. J'arrive ! Je fonce ! Pas de vieux banc dans le corridor. Pas grave. Ils ont dû l'enlever. Un banc, ce n'est quand même pas vissé au plancher.

E-222, E-224, E-226, E-228…

E…

Bon. Je suis dans l'aile est. J'avais deux choix, j'ai opté pour le mauvais. Je reviens sur mes pas, j'emprunte l'autre corridor. C'est ce qui est formidable avec l'est et l'ouest : si ce n'est pas l'un, c'est l'autre. C'est bien pensé les points cardinaux, pour ceux qui se perdent tout le temps.

Je trottine vers le local.

Une fille avec un long toupet est assise sur le vieux banc au bout du corridor. À côté d'elle, un gars avec une casquette à l'envers. Ils m'observent tous les deux, je le sens. Je ralentis un peu ma course. J'ai sûrement l'air d'une fille à bout de souffle, en retard, complètement perdue, qui cherche le local de la radio. Et c'est précisément ce que je suis. J'évite de les regarder. J'avance plus lentement en essayant d'avoir l'air détendue.

Ce que je ne suis pas du tout.

0-215…

0-220…

0-225…

O-230 ! J'ai trouvé !

J'ai réussi à m'orienter à l'intérieur de l'école la plus labyrinthique du monde.

Ce n'est rien, 15 minutes de retard. Je respire. Soyons zen, comme le dirait la nouvelle Doris ressuscitée.

J'essaye d'ouvrir, mais le local est verrouillé. Je recule de deux pas, vérifie le numéro. Je suis pourtant au bon endroit. Je me tourne vers la grande sérieuse et le petit au *look* de skateux :

– Est-ce que c'est ici le local de la radio étudiante ?

– Ouaip ! répond le gars.

– La réunion est finie ou…

– Gris-Blanc est parti chercher la clé du local, précise la fille.

– Qui ?

– Le prof responsable de la radio, explique le gars. On l'appelle Gris-Blanc à cause de son sarrau.

– C'est toi, la troisième ? me demande la fille au toupet.

– La troisième quoi ?

Je comprends que l'équipe de la radio étudiante, ce sera nous trois. J'imaginais qu'on serait une dizaine, toute une équipe avec des micros, les membres de la rédaction, les journalistes. Je suis déçue. Je pense que ça se voit.

– Seulement trois..., je m'étonne.

– MAIS QUELS TROIS ! rétorque la grande, comme si elle lisait dans mes pensées.

Elle en remet. Elle dit qu'eux sont des spécimens mais qu'avec moi, c'est la totale. Pourquoi moi ? La totale de quoi ? Je ne saisis pas trop ce qu'elle veut dire.

– Moi, c'est Daphné, marmonne-t-elle avec moins d'assurance.

– Yo ! fait le gars.

Je ne sais pas pourquoi il me dit « Yo », mais je m'exclame :

– Yo !

– Yo, c'est son nom, corrige Daphné.

– Pour Yohann, il précise.

– Moi, c'est Laurence, mais tu peux m'appeler Lo, si jamais tu trouves que c'est trop long.

Le Yo sourit. Daphné aussi. J'aime son prénom et j'adore ses bottines. Ce que je ne lui dirai pas tout de suite. Elle m'intimide un peu. Yo a l'air plutôt *cool*. Je pourrais leur confier que je viens de débarquer à l'école du Phare, que je n'ai aucun ami ici et que je suis bien contente de les connaître, mais je n'ose pas. Je pose mon gros sac à dos sur le vieux banc qui craque un peu sous le poids. Les deux autres se poussent sur la gauche pour me laisser une grande place. Je veux rester discrète. Je m'assois.

Le banc s'écroule.

On se relève rapidement. On verra plus tard s'il y a des blessés. Le prof responsable de la radio avance dans le corridor. On essaye de redresser l'objet.

– C'est n'importe quoi, ce vieux banc-là ! je leur dis.

– Il vient de péter au frette, ajoute Yo.

– Son chant du cygne, conclut Daphné, qui place son sac à dos de manière à soutenir le banc.

Je fais pareil avec le mien à l'autre bout. C'est tout croche. Rien de solide, mais pour le moment, le banc tient et c'est ce qui compte.

Le prof est là. On ne rit plus.

– C'est un accident… je bafouille.

– Il a pas d'allure, vot' banc! fait remarquer Yo. Un vrai danger public!

Daphné ajoute qu'il date de Mathusalem. J'ignore qui est Mathusalem, mais ce n'est sûrement pas lui qui fera sourire le prof ce midi.

– Un peu de colle à bois pis quelques vis bien placées, ça devrait tenir, suggère Yo. À condition que personne s'assoie dessus, évidemment.

– À moins de le jeter?

Je n'aurais pas dû faire cette dernière proposition.

– Tu veux *jeter* une antiquité sauvée du couvent des pères maristes en 1820 ?

– On respecte le matériel ici.

– C'est pas qu'on respecte pas le matériel...

– C'est le matériel qui nous respecte pas! complète Yo pour venir à mon secours.

On pouffe de rire.

Yo replace les pattes, mais la deuxième chute est fatale pour le vieux banc. Les morceaux de bois volent. Cette fois, on est vraiment tordus de rire. Impossible d'arrêter. C'est nerveux, dans mon cas. Mais ce n'est pas le cas de Gris-Blanc.

– O.K., le trio rigolo, fait le prof.

Le trio, c'est nous. Rigolo, je sais pas trop.

– Maintenant, va falloir payer.

– Hein ? on s'exclame, tous les trois.

– La politique de l'école du Phare, c'est action/conséquence. Tu fais une gaffe, tu assumes.

Il nous donne rendez-vous à l'Oasis à 16 h 15. Je suis la première à demander où se trouve l'Oasis.

– Dans le désert, répond Daphné, avant le prof.

Mauvaise réponse. C'est le local de retenue.

– Une retenue le premier jour ? Ça commence bien..., je chuchote.

– Et ce midi? Pas de radio ? s'informe Yo, qui ne perd pas le nord. Il reste une demi-heure.

La radio étudiante débutera au prochain jour 1. Le prof est déjà parti. Daphné ironise sur l'accueil chaleureux de l'école. J'ajoute que pour la solidité des meubles, ce n'est pas beaucoup mieux et Yo nous confie, avec tout le sérieux du monde, que ce qu'il préfère ici, c'est le cimetière en face. Il ajoute qu'il a déjà fait du *skate* entre les tombes avec son ami Ré. Je trouve que c'est un peu *weird*. Mais bon.

Quelque chose me dit que je ne vais pas m'ennuyer avec ces deux-là…

J'entre dans mon local de français. Je balaye la classe des yeux. Je cherche la meilleure place. Pas question de m'asseoir trop près du prof, encore moins derrière et il n'y a plus de table libre au centre.

Près de la fenêtre, ce serait bien…

Je me fige.

C'est pas vrai... Le gars de l'avion ! Ici ! Dans mon école ! Dans mon cours de français ! Je m'assois rapidement. Première table de la première rangée, près de la porte.

En gros, j'ai évité le gars de l'avion toute la semaine pour ne pas avoir de peine et ma tante Doris, qui a voulu profiter de tout, a failli mourir. Il y a sûrement une leçon à tirer de tout ça. Laquelle ? Je ne sais pas. J'y repenserai. Le cours commence.

Et le gars de l'avion m'a souri...

Le Trio rigolo

AUTEURS ET PERSONNAGES :

JOHANNE MERCIER – LAURENCE
REYNALD CANTIN – YO
HÉLÈNE VACHON – DAPHNÉ

ILLUSTRATRICE : MAY ROUSSEAU

1. Mon premier baiser
2. Mon premier voyage
3. Ma première folie
4. Mon pire prof
5. Mon pire party
6. Ma pire gaffe
7. Mon plus grand exploit
8. Mon plus grand mensonge
9. Ma plus grande peur
10. Ma nuit d'enfer
11. Mon look d'enfer
12. Mon Noël d'enfer
13. Le rêve de ma vie
14. La honte de ma vie
15. La fin de ma vie
16. Mon coup de génie
17. Mon coup de foudre
18. Mon coup de soleil
19. Méchant défi !
20. Méchant lundi !
21. Méchant Maurice !
22. Au bout de mes forces
23. Au bout du monde
24. Au bout de la rue
25. Top secret
26. Top modèle
27. Tope là !
28. Ma dernière chance
29. Ma dernière cenne
30. Mon dernier trip
31. Salut Laurence !
32. Salut Yo !
33. Salut Daphné !

www.triorigolo.ca

Québec, Canada

2015

RECYCLÉ
Papier fait à partir
de matériaux recyclés
FSC® C103567

Imprimé sur du papier Enviro 100% postconsommation
traité sans chlore, accrédité ÉcoLogo et fait à partir de biogaz.

100%

PERMANENT